*anidad para el*
*Corazón herido*

*Experimente la restauración a través del*
*poder de la Palabra de Dios*

# JOYCE MEYER

Publicado por Editorial **Carisma**
Miami, Fl. 33172
Derechos reservados

Primera edición 1998
© 1997 por Joyce Meyer
Life In the Word, Inc.
P.O. Box 655 Fenton, Missouri 63026

Originalmente publicado en inglés con el título:
*Healing the Brokenhearted* por Harrison House, Inc.
Tulsa, Oklahoma

Traducido al español por: Alicia Valdés Dapena

Citas bíblicas tomadas de la Santa Biblia, revisión 1960
© Sociedades Bíblicas Unidas
© Otras citas marcadas B.d.l.A. "Biblia de las Américas"
© 1986 The Lockman Foundation. Usadas con permiso.

Producto 550098
ISBN 0-7899-0386-5
Impreso en Colombia
*Printed in Colombia*

# Contenido

# Contents

# Introducción:
# La Palabra de Dios

*❧ Él envió su palabra y los sanó, y los libró de la muerte.*

Salmo 107:20 BdlA

La Palabra de Dios nos sana y nos rescata. También nos cambia a nosotros y a nuestras vidas.

La Palabra de Dios te cambiará a *ti*.

En el Salmo 1:1-3 David afirmó que la persona que medita en la Palabra día y noche, será como un árbol firmemente plantado, y que en todo lo que hace, prospera.

Estar firmemente plantado es ser estable. Uno puede ser estable y que todo lo que haga prospere. La forma de lograrlo es meditando en la Palabra de Dios.

Meditar en la Palabra significa repasarla una y otra vez en la mente, reflexionar en ella y sopesarla, y murmurarla para uno mismo como el Señor le ordenó a su siervo Josué:

> ❧ *Este libro de la ley no se apartará de tu boca, sino que meditarás en él día y noche, para que cuides de hacer todo lo que en él está escrito; porque entonces harás prosperar tu camino y tendrás éxito.*

> Josué 1:8 BdlA

En Deuteronomio 30:14 BdlA se nos dice:
❧ *Pues la Palabra está muy cerca de ti, en tu boca y en tu corazón, para que la guardes.*

En Isaías 55:11 BdlA el Señor nos promete:
❧ *Así será mi palabra que sale de mi boca,*

6

*no volverá a Mí vacía sin haber realizado lo que deseo, y logrado el propósito para el cual la envié.*

En 2 Corintios 3:18 el apóstol Pablo nos enseña que en tanto contemplamos la gloria del Señor, en su Palabra, somos transformados o cambiados. Parte de contemplar la gloria del Señor está en ver el glorioso plan que Él tiene para nosotros y en creerlo.

Dios nos ama, y tiene un buen plan, un plan glorioso para nuestras vidas. En el primer capítulo de Efesios, Pablo afirma que Dios ideó todo el plan de salvación mediante Cristo, a fin de satisfacer el intenso amor con que nos ama.

Eso significa que Dios lo ama a uno, y que tiene un glorioso plan maravilloso para ti y para tu vida. Necesitas creerlo y confesarlo.

El diablo ha tratado de arruinar ese plan. Ha trabajado toda tu vida para hacerte sentir despreciable. ¿Por qué? Porque no quiere que llegues **jamás** a creer que Dios te ama con ternura. Satanás sabe que escuchar la Palabra de Dios una y otra vez, y permitir que se convierta en parte de tu vida interna, parte de tu modo de pensar, te cambiará. Y él no quiere que eso suceda.

Por eso escribí este libro. Contiene escrituras que pienso cambiarán la imagen que tienes de ti mismo, y de ese modo cambiarán tanto tu presente como tu futuro.

De acuerdo con la Biblia, Dios nos creó a su imagen. (Génesis 1:27.) El creer lo que Dios dice de ti, cambia tu actitud y tu opinión de ti mismo. Pregúntate: "¿Qué pienso de mí mismo? ¿Qué opinión tengo de mí mismo?" Entonces pregúntate: "¿Qué piensa Dios de mí? ¿Qué opinión tiene Dios de mí?"

Lo que Dios piensa y dice de ti se encuentra en su Palabra. Las declaraciones de la escritura que encontrarás en este libro te pondrán de acuerdo con Dios en lugar de estarlo con tu enemigo. Quizás el diablo te ha mentido toda tu vida, y le has creído. Ya es tiempo de que le creas a Dios.

En Juan 17:17, Jesús dice que la Palabra de Dios es verdad, y en Juan 8:32 dice que la verdad nos hará libres. No sólo nos hará libres la Palabra de Dios, la Palabra de Verdad, sino que también cambiará nuestro aspecto y naturaleza. Por eso necesitas leerla, estudiarla y meditar en ella, permitiéndole asentarse dentro de ti.

En Cristo puedes ser confiado, lleno de gozo, vencedor, fiel, amigo de Dios, alguien que busca el rostro de Dios.[1]

---

1. Basado en la canción "Cambiaré tu nombre", letra y música de B.J. Butler © Mercy Publishing. Usado con permiso.

Declara acerca de ti lo que Dios dice de ti en su Palabra. Mientras lo hagas, Dios comenzará a obrar en tu vida. Te cambiará de ser un quebrantado de corazón, herido y temeroso, a ser su amigo fiel a quien Él ama y el cual lo ama mucho a Él.

En Isaías 61:1-3 BdlA leemos:

❦ *El Espíritu del Señor Dios está sobre mí, porque me ha ungido el Señor para traer buenas nuevas a los afligidos; me ha enviado para vendar a los quebrantados de corazón, para proclamar libertad a los cautivos y liberación a los prisioneros;*

*Para proclamar el año favorable del Señor, y el día de venganza de nuestro Dios; para consolar a todos los que lloran, para conceder que a los que lloran en Sion se les dé diadema en vez de ceniza, aceite de alegría en vez de luto, manto de alabanza en vez de*

> *espíritu abatido; para que sean llama-*
> *dos robles de justicia, plantío del Se-*
> *ñor, para que Él sea glorificado.*

Sí, Dios te está cambiando. Está cambiando tu carácter. Está cambiando tu vida. Dios te ama. Eres una persona especial. El enemigo no quiere que te sientas amado, pero Dios sí.

En las páginas siguientes aprenderás no sólo cómo sentirte seguro del amor de Dios, sino también cómo estar seguro de tu futuro, cómo conocer tu justicia (quién eres en Cristo), y cómo vencer el miedo que podría robarte todas las bendiciones que Dios desea derramar sobre ti como parte de esta maravillosa vida que Él ha planeado para ti.

Dios te bendice mientras aprendes a hablar su Palabra que no volverá a Él vacía sino que ¡cumplirá su voluntad y propósito en tu vida!

# 1
## Sintiendo el amor de Dios

❧ *Pero en todas estas cosas somos más que vencedores por medio de aquel que nos amó. Porque estoy convencido de que ni la muerte, ni la vida, ni ángeles, ni principados, ni lo presente, ni lo por venir, ni los poderes, ni lo alto, ni lo profundo, ni ninguna otra cosa creada nos podrá separar del amor de Dios que es en Cristo Jesús Señor nuestro.*

Romanos 8:37-39 BdlA

En este pasaje el apóstol Pablo nos asegura que a pesar de todo lo que pueda venir contra nosotros en esta vida, la victoria aplastante es nuestra, mediante Cristo quien nos amó lo suficiente para dar su vida por nosotros.

En Juan 3:16 BdlA Jesús mismo dice:

❦ *"Porque de tal manera amó Dios al mundo que dio a su Hijo unigénito para que todo aquel que cree en Él, no se pierda, mas tenga vida eterna."*

Jesús te ama, personalmente, tanto que hubiese dado su vida por ti, aunque hubieras sido la única persona sobre la tierra.

Juan el discípulo amado nos dice que: y ❦ *"En el amor no hay temor, sino que el perfecto amor echa fuera el temor, porque el temor involucra castigo, y el que teme no es hecho perfecto en el amor."* (1 Juan 4:18 BdlA).

14

Cuando sentimos miedo en el corazón, esa es una señal de que todavía carecemos del conocimiento de cuánto nos ama Dios.

Si uno conoce la magnitud del amor de Dios, ese conocimiento hará desvanecer todos los temores en nuestro corazón.

En Juan 16:27, Jesús afirma: 🍎 *"Pues el Padre mismo os ama, porque vosotros me habéis amado y habéis creído que yo salí del Padre."*

¿Te resulta difícil creer que Dios se preocupa tanto por ti?

Durante muchos años fui incapaz de recibir el amor de Dios porque pensaba que era indigna de su amor. Pero ahora sé que Él me ama, aunque todavía tengo imperfecciones.

En Juan 14:21 BdlA, Jesús nos recuerda: 🍎 *"El que tiene mis mandamientos y los guarda, ése es el que me ama; y el que me ama será amado por mi Padre, y yo lo amaré y me manifestaré a él."*

Jesús quiere manifestarse a *ti*.

La obediencia es un fruto del verdadero amor, pero nunca serás capaz de amar a Dios lo suficiente como para obedecerlo, a menos que primero recibas su amor por ti. No puedes ganártelo. No lo puedes comprar con buenas obras, o conseguirlo a cambio de buena conducta.

El amor de Dios es un don gratuito; es incondicional. Viene a nosotros mediante el sacrificio que Jesús hizo cuando murió por nosotros en la cruz.

Recibe el amor de Dios ahora mismo. Descansa en su presencia y di: "Creo que me amas, Señor, y recibo tu amor."

En Juan 4:19 leemos: ❦ *"Nosotros le amamos a Él, porque Él nos amó primero."* Quizás lo has estado entendiendo al revés como yo durante muchos años. Puede que estés tratando de amar a Dios lo bastante y de hacer lo suficiente para que Él entonces te corresponda. Pero mira otra vez 1 Juan 4:19: ❦ *"Nosotros le amamos a Él, **porque** Él nos amó primero."*

David tenía confianza en el amor de Dios cuando dijo en el Salmo 36:7: ❦ *"¡Cuán preciosa es, oh Dios, tu misericordia! Por eso los hijos de los hombres se refugian a la sombra de tus alas."*

Me gustaría que compartiéramos pasajes del Salmo 139. David tenía un modo único de comunicarse con Dios, y haremos bien si seguimos su ejemplo. Declara con tu boca las palabras de este salmo:

> ❦ *Oh Señor, tú me has examinado y conocido. Tú conoces mi sentarme y mi levantarme; desde lejos comprendes mis pensamientos. Tú escudriñas mi senda y mi descanso, y conoces*

bien todos mis caminos. Aun antes de que haya palabra en mi boca, he aquí, oh Señor, tú ya la sabes toda. Por detrás y por delante me has cercado, y tu mano pusiste sobre mí.

Tal conocimiento es demasiado maravilloso para mí; es muy elevado, no lo puedo alcanzar. ¿Adónde me iré de tu Espíritu, o adónde huiré de tu presencia?...

¡Cuán preciosos también son para mí, oh Dios, tus pensamientos! ¡Cuán inmensa es la suma de ellos! Si los contara, serían más que la arena; al despertar aún estoy contigo!

Salmo 139:1-7,17,18 BdlA

¡Esto es poderoso!

El profeta Isaías nos dice que Dios está aguardando para ser bueno con nosotros: ❦ *"Por tanto, el Señor espera para tener piedad de vosotros, y por eso se levantará para tener compasión de vosotros. Porque el Señor es un Dios de justicia; ¡cuán bienaventurados son todos los que en Él esperan!"* (Isaías 30:18 BdlA.)

Piensa en eso, Dios quiere pasar tiempo contigo porque te ama y porque tú eres especial para Él.

Dios te ama tanto que lleva cuenta de tus idas y venidas. Pone tus lágrimas en una redoma, y las inscribe en su libro. (Salmo 56:8.)

En Juan 14:18, Jesús les dice a sus discípulos: ❦ *"No os dejaré huérfanos; vendré a vosotros."*

En el Salmo 27:10, David escribió: ❦ *"Aunque mi padre y mi madre me hayan abandonado, el Señor me recogerá."*

Quizás careces del amor natural que toda persona desea y busca; tal vez incluso tu propia familia te ha abandonado. Dios quiere que sepas hoy que su amor por ti es tan fuerte, tan poderoso y tan extraordinario, que barrerá la pérdida del amor de cualquier otra persona. Deja que te consuele y sane tu corazón quebrantado.

Has sido adoptado en la familia de Dios. Eres su hijo, y Él te ama.

En Efesios 3:17-19 el apóstol Pablo ora por ti y por mí:

> ❦ *Para que habite Cristo por la fe en vuestros corazones, a fin de que, arraigados y cimentados en amor, seáis plenamente capaces de comprender con todos los santos cuál sea la anchura, la longitud, la profundidad y la altura, y de conocer el amor de Cristo, que excede a todo conocimiento, para que seáis llenos de toda la plenitud de Dios.*

Sí, Dios te ama, y vigila sobre ti. Él mantiene su ojo sobre ti en todo momento. Isaías

49:16 dice que te tiene grabado y esculpido en las palmas de sus manos.

En Juan 15:9 Jesús dice: ❧ *"Como el Padre me ha amado, así también yo os he amado; permaneced en mi amor."*

¿Cuánto te ama Dios?

> ❧ *"Nadie tiene un amor mayor que éste; que uno dé su vida por sus amigos" (Juan 15:13 BdlA).*

Nadie te tiene un amor mayor que ése.

Jesús quiere ser tu amigo. Él puso su vida por ti para demostrarte cuánto te ama.

En Romanos 5:6 BdlA Pablo nos recuerda: ❧ *"Porque mientras aún éramos débiles, a su tiempo Cristo murió por los impíos."*

A su debido tiempo, Dios mostró su gran amor por nosotros enviando a Cristo a morir por nosotros mientras nosotros todavía éramos pecadores.

Entonces en el versículo 7, Pablo prosigue: ❦ *"Porque a duras penas habrá alguien que muera por un justo, aunque tal vez alguno se atreva a morir por el bueno."*

Finalmente, en el versículo 8 Pablo concluye: ❦ *"Pero Dios demuestra su amor para con nosotros, en que siendo aún pecadores, Cristo murió por nosotros."*

Amigo mío, ¡Dios te ama tanto! El Espíritu Santo está tratando de revelar el amor de Dios hacia ti. Abre tu corazón y recibe el amor de Dios. Él te acepta donde estás. Jamás te rechaza y nunca te condena. (Juan 3:18.)

En Efesios 1:6 Pablo escribe que somos hechos aceptables a Dios a través del Amado, del Señor Jesucristo. Lo que nos hace aceptables no es nuestra capacidad de ser perfectos. Es únicamente a través de Cristo que somos hechos lo bastante justos para acercarnos al Padre.

❧ Efesios 1:7 dice:*"En Él tenemos redención mediante su sangre, el perdón de nuestros pecados según las riquezas de su gracia."*

Y en Isaías 54:10 se nos dice: ❧ *"Porque los montes serán quitados y las colinas temblarán, pero mi misericordia no se apartará de ti, y el pacto de mi paz no será quebrantado"* -dice el Señor, que tiene compasión de ti.

En 1 Corintios 1:9 Pablo nos recuerda que: ❧ *"Fiel es Dios, por el cual fuisteis llamados a la comunión con su Hijo Jesucristo nuestro Señor."* Él ha prometido que jamás te rechazará mientras tú creas en Cristo. También ha prometido que te amará, y Él cumple sus promesas.

En Juan 17:9,10 Jesus dice que Él está orando por ti porque tú le perteneces. Tú le fuiste dado a Él por Dios, y Él es glorificado en ti.

Dios te ama. Recibe ese amor.

Confiesa con el salmista David:

❧ *"Bendice, alma mía, al Señor, y bendiga todo mi ser su santo nombre. Bendice, alma mía, al Señor, y no olvides ninguno de sus beneficios. Él es el que perdona todas tus iniquidades, el que sana todas tus enfermedades, el que rescata de la fosa tu vida, el que te corona de bondad y compasión."*

Salmo 103:1-4

En la *Biblia al Día*, la versión de los versículos 5, 6, 8, 11-13 y 17 David dice del Señor:

❧ [Él] *"llena de vida mis bienes. Mi juventud se renueva como la del águila. Él hace justicia a cuantos son tratados injustamente.... Él es misericordioso, tierno para quienes no lo merecen; es lento para enojarse y lleno de bondad y amor... porque su misericordia para quienes le temen y honran es tan grande como la altura de los*

24

*cielos sobre la tierra. Ha arrojado nuestros pecados tan lejos de nosotros como está el oriente del occidente. Es para nosotros como un padre, tierno y cariñoso para con los que lo reveren- cian.... Pero la amorosa bondad del Señor permanece por los siglos de los siglos.*

Otra vez David nos dice en el Salmo 32:10 BdlA: ❦ *"...al que confía en el Señor, la misericordia lo rodeará."* Y en el Salmo 34:1- 8 escribe:

❦ *Bendeciré al Señor en todo tiem- po; continuamente estará su alabanza en mi boca. En el Señor se gloriará mi alma; lo oirán los humildes y se rego- cijarán. Engrandeced al Señor conmi- go, y exaltemos a una su nombre.*

*Busqué al Señor, y Él me respon- dió, y me libró de todos mis temores. Los que a Él miraron, fueron iluminados; sus rostros jamás serán avergonzados.*

> Este pobre clamó, y el Señor le oyó, y lo salvó de todas sus angustias. El ángel del Señor acampa alrededor de los que le temen, y los rescata.

> Probad y ved que el Señor es bueno. ¡Cuán bienaventurado es el hombre que en Él se refugia!

Pedro nos dice que el amor cubre multitud de pecados. (1 Pedro 4:8.) El amor de Dios te está cubriendo. Vive bajo esa cubierta. Deja que bendiga tu vida. Declara una y otra vez, muchas veces al día: "Dios me ama."

Medita en las escrituras de este capítulo. Ese acto obediente de tu parte te ayudará a recibir del Señor lo que Él desea darte: la seguridad de su abundante y constante amor.

# 2
## Siéntete seguro de tu futuro

Ahora me gustaría compartir contigo algunas escrituras acerca del gran futuro que Dios tiene planeado para ti. Deseo que sepas que eres valioso y que Dios tenía un propósito especial en mente cuando te creó.

En la canción llamada: "Tengo un destino", el compositor declara que él tiene un destino que sabe que podrá realizar, uno que le estaba predestinado por Dios, quien lo escogió y quien está trabajando poderosamente a través de él por el poder de su Espíritu. Termina con la perturbadora confesión: "Tengo un destino, y ese no es un deseo vano de mi parte, porque

27

sé que nací para ese momento, para semejante tiempo, para un tiempo como este."[1]

¿Y qué de ti? ¿Cómo prevés tu futuro?

Dios quiere que estés lleno de esperanza, y el diablo quiere que no tengas esperanza alguna. Dios quiere que esperes que todos los días te sucedan cosas buenas. Satanás también quiere que esperes, pero que esperes ruina y desolación.

El autor de Proverbios 15:15 (BdlA) dice: ❦ *"Todos los días del afligido son malos, pero el de corazón alegre tiene un banquete continuo."*

Los malos presentimientos son simplemente aguardar que le ocurran a uno cosas malas antes que sucedan. Esta escritura

---

1. Palabras y música, por Mark Altrogge ©1985. People of Destiny/Pleasant Hill Music.

afirma claramente que es mediante esos malos presentimientos que nuestros días terminan llenos de aflicción.

En el Salmo 27:13 (BdlA), David escribe: ☙ *"Hubiera yo desmayado, si no hubiera creído que había de ver la bondad del Señor en la tierra de los vivientes."* Y en el siguiente versículo nos exhorta: *"Espera al Señor, esfuérzate y aliéntese tu corazón. Sí, espera al Señor."*

En Jeremías 29:11 (BdlA) el Señor revela sus intenciones hacia nosotros: ☙ *"Yo sé los planes que tengo para vosotros"* —declara el Señor— *"planes de bienestar y no de calamidad, para daros un futuro y una esperanza."*

Recuerda, el diablo quiere que no tengas esperanza. Él te quiere ver desesperanzado, hablar sin esperanza y actuar desesperado.

Pero escucha estas poderosas palabras escritas por David en el Salmo 42:11 (BdlA): ☙ *"¿Por qué te abates, alma mía, y por qué te turbas dentro de mí? Espera en Dios, pues he de alabarle otra vez. ¡Él es la salvación de mi ser, y mi Dios!"*

Tener escrituras como ésta guardadas en el corazón lo ayuda a uno a estar lleno de esperanza y de gozosa expectación. Tendrás apariencia esperanzada, pensamientos y palabras esperanzadoras y actuarás con esperanza.

En Romanos 5:5 (BdlA) el apóstol Pablo nos dice que: ❦ *"La esperanza no desilusiona, porque el amor de Dios ha sido derramado en nuestros corazones por medio del Espíritu Santo que nos fue dado."*

En otras palabras, sabemos que Dios nos ama porque el Espíritu Santo nos lo enseña. Ponemos nuestra esperanza en Dios porque estamos seguros de que Él nos ama y tiene un gran futuro planeado para nosotros. Y cuando nuestras esperanzas y expectativas están en Él, jamás terminamos desengañados, desilusionados o avergonzados.

En el Salmo 84:11 (BdlA) leemos: ❦ *"Por-que sol y escudo es el Señor Dios; gracia y gloria da el Señor; nada bueno niega a los que andan en integridad."*

En Filipenses 1:6 (BdlA), Pablo nos asegu-ra: ❦ *"Estando convencido precisamente de esto: que el que comenzó en vosotros la buena obra, la perfeccionará hasta el día de Cristo Jesús."*

En Efesios 2:10 (BdlA) Pablo explica la razón de su gran seguridad:

> ❦ *Porque somos hechura suya, creados en Cristo Jesús para hacer buenas obras, las cuales Dios preparó de antemano para que anduviéramos en ellas."*

Ahora puedes estarte preguntando: "Si Dios tiene tan buen plan para mí, ¿cuándo lo veré?"

La respuesta está escrita en Eclesiastés 3:17: ❦ *"Porque hay un tiempo para cada cosa y para cada obra."*

Dios cumplirá su plan y propósito contigo en su propio tiempo. Tu parte es sencillamente hacer lo que Pedro sugiere: humillarte bajo la poderosa mano de Dios, que a su debido tiempo Él te exaltará. (1 Pedro 5:6.)

En Habacuc 2:2 el Señor dio una visión profética de su plan para el futuro, ordenándole al profeta que la registrara para que otros pudieran leerla. Pero en el siguiente versículo prosigue diciendo: ❦ *Porque es aún visión para el tiempo señalado, se apresura hacia el fin y no defraudará. Aunque tarde, espérala; porque ciertamente vendrá, no tardará."* (Habacuc 2:3 BdlA)

El autor de Hebreos 6:18-19 (BdlA) nos dice que estas cosas fueron escritas: ❦ *"a fin de que por dos cosas inmutables, en las cuales es imposible que Dios mienta, seamos grandemente animados los que hemos huido para refugiarnos, echando mano de la esperanza puesta delante de nosotros, la cual tenemos como ancla del alma, una esperanza segura y firme, y que penetra hasta detrás del velo."*

Y Pablo dice que: ❦ "*...para los que aman a Dios, todas las cosas cooperan para bien, esto es, para los que son llamados conforme a su propósito.*" (Romanos 8 :28 BdlA). Más adelante en su carta a la iglesia de Éfeso, Pablo nos recuerda que tenemos propósito, diciendo: ❦ "*Y a aquel que es poderoso para hacer todo mucho más abundantemente de lo que pedimos o entendemos, según el poder que obra en nosotros.*" (Efesios 3:20 BdlA.)

Dios quiere que uno esté lleno de esperanza porque Él está listo para hacer aun las mayores cosas que uno sea capaz de esperar. Sin embargo, si uno carece de esperanza -como quiere el diablo- entonces no está haciendo la parte que Dios quiere que uno haga, que es poner la esperanza y la expectativa en Él, creyendo que Él tiene un buen plan para nuestra vida y confiando en que ese plan está en proceso de ser llevado a cabo.

En Efesios 1:11, Pablo dice del Señor Jesucristo: ❦ *"En Él también hemos obtenido herencia, habiendo sido predestinados según el propósito aquel que obra todas las cosas conforme al consejo de su voluntad."*

Recuerda el mandato de Dios a su siervo en Josué 1:8 (BdlA): ❦ *"Este libro de la ley no se apartará de tu boca, sino que meditarás en él día y noche, para que cuides de hacer todo lo que en él está escrito; porque entonces harás prosperar tu camino y tendrás éxito."*

Recuerda también Deuteronomio 30:14 (BdlA) que dice: ❦ *"Pues la Palabra está muy cerca de ti, en tu boca y en tu corazón, para que la guardes."*

En Isaías 55:11 (BdlA) el Señor nos muestra cómo podemos ayudar a que su Palabra se cumpla en nuestras vidas si la declaramos: ❧ *"Así será mi palabra que sale de mi boca, no volverá a mí vacía sin haber realizado lo que deseo, y logrado el propósito para el cual la envié."*

Dale tu boca a Dios, déjalo que hable por ella como si fuera suya. Comienza a hablar su Palabra, porque Él tiene un buen futuro, un buen propósito y un buen plan para ti. Que lo que digas esté de acuerdo con Dios, no con el enemigo.

Recuerda, cada uno de nosotros tiene un destino divino.

¿Cómo crees que serás en el futuro? El diablo quiere que creas que irás empeorando todo el tiempo en vez de mejorar. Quiere que medites en todo lo que te falta por recorrer todavía, en vez de en lo mucho que ya tienes adelantado.

¿Te sientes frustrado contigo mismo, pensando que más nunca cambiarás? Mantén la esperanza: Dios te está cambiando todo el tiempo. Su Palabra está obrando poderosamente en ti.

Deuteronomio 7:22 nos recuerda que Él nos ayuda a vencer a nuestros enemigos poco a poco.

En 2 Corintios 3:18 Pablo dice que en tanto contemplamos al Señor en su Palabra, estamos siendo transformados o cambiados a su imagen y que eso sucede ❦ *"de gloria en gloria"*.

Entonces leemos en Romanos 12:2 que somos transformado por la total renovación de nuestras mentes y por estos nuevos pensamientos, ideales y actitudes, verifiquemos ❦ *"cuál es la voluntad de Dios: lo que es bueno, aceptable y perfecto."*

En Colosenses 1:27 Pablo declara que el misterio de las edades es Cristo en nosotros, la esperanza de gloria. Tu Padre celestial te ve glorificado. Él tiene una visión tal de ti en un estado glorificado, que envía a su Espíritu a morar dentro de ti para estar seguro de que sucede sin falta.

Yo defino la palabra "gloria" como la manifestación de todas las excelencias de nuestro Dios. Pon tus esperanzas en Él y cree que todas estas escrituras son para ti.

Aprende a hacer declaraciones positivas, llenas de fe, basadas en la Palabra. Di en voz alta: "Yo estoy siendo transformado en la imagen de Dios de gloria en gloria" (2 Corintios 3:18) "Cristo en mí es mi esperanza de ser más glorioso. El Espíritu de Dios me está transformando diariamente, poco a poco. Mi vida tiene un propósito. Dios tiene un buen plan para mí."

37

Recuerda, de acuerdo con Romanos 4:17 servimos a un Dios que "llama" a las cosas que no son como si fueran.

¿Qué dice Dios de nosotros en su Palabra?

> ❦ *Vosotros sois linaje escogido, real sacerdocio, nación santa, pueblo adquirido para posesión de Dios, a fin de que anunciéis las virtudes de aquel que os llamó de las tinieblas a su luz admirable.*

1 Pedro 2:9 BdlA

Dios tiene intenciones de mostrar o manifestar, sacar a la luz donde puedan verse, las maravillosas obras, virtudes y perfecciones que Él ha planeado para ti.

Aprende a decir: "He sido llamado de las tinieblas a la luz gloriosa de Dios."

El tener una pobre imagen de uno mismo es estar en tinieblas. Sentir disgusto por uno mismo, es tinieblas. Pensar que uno carece de valor o es inútil, es tinieblas.

En Malaquías 3:17 aprendemos que somos las joyas de Dios, su posesión preciada, su especial tesoro. Sí, eres valioso, y tienes un propósito. Tienes un destino. Dios tiene un gran plan para tu vida. Tú tienes una parte que desempeñar en la historia, pero tienes que creerlo para recibirlo, para que se haga realidad.

Puedes decir: "Pero Joyce, he fallado tantas veces. He cometido tantos errores; sé que voy a desengañar a Dios."

En Filipenses 3:13-14 (BdlA) Pablo admite que él todavía no ha llegado a la perfección, pero también declara que no se dará por vencido.

> 🕯 *Hermanos, yo mismo no consi-*
> *dero haberlo ya alcanzado; pero una*
> *cosa hago: olvidando lo que queda*

atrás y extendiéndome a lo que está
delante, prosigo hacia la meta para
obtener el premio del supremo llamamiento de Dios en Cristo Jesús.

Dios tiene un buen plan para tu vida. No
vivas en el pasado. Escucha la Palabra del
Señor según Isaías 43:18-19 la recoge:

❦ *No os acordéis de las cosas pasa-
das, ni traigáis a memoria las cosas
antiguas. He aquí que yo hago cosa
nueva; pronto saldrá a luz; ¿no la
conoceréis? Otra vez abriré camino
en el desierto, y ríos en la soledad.*

Finalmente, escucha en Isaías 43:25 lo que
Dios está diciéndote: ❦ *"Yo, yo soy el que
borro tus rebeliones por amor de mí mismo, y
no me acordaré de tus pecados."*

Dios desea ardientemente ver que te con-
vierte en todo lo que Él ha planeado que tú
seas. Quiere verte disfrutar al máximo la buena vida que Él te ha destinado. Está dispuesto

por su gracia y misericordia, a quitar todo lo que tú mismo has hecho mal en el pasado. Hasta ha previsto todos los errores que pudieras cometer en el futuro.

No tienes que vivir lleno de remordimientos por el pasado, ni con temor por el futuro. Dios está dispuesto a ayudarte en cualquier forma que lo necesites.

Isaías 40:31 promete que: ✿ *"Pero los que esperan en el Señor renovarán sus fuerzas; se remontarán con alas como las águilas, correrán y no se cansarán, caminarán y no se fatigarán.*

Qué maravillosa seguridad del persistente amor de Dios y de su milagrosa provisión para cada necesidad que uno enfrente en los días venideros.

Armado con sus maravillosas promesas y sus preciosos planes, enfrenta el futuro con esperanza y confianza, seguro de que lo que

Él prometió, Él puede cumplirlo. (Romanos 4:21.)

No mires atrás, sino adelante. Da el paso de fe

Recuerda: ¡tienes un destino divino que cumplir!

# 3

# Conociendo tu justicia
# en Cristo

Ahora me gustaría compartir contigo algunas escrituras acerca de la justicia.

La canción "He sido hecho la justicia de
Dios", cuenta de ser adoptado en la propia
familia de Dios y de estar ante su trono como
un miembro de la realeza, completo en Jesús
y coheredero con Él, sin pecado, comprado
con su preciosa sangre.[1]

---

1. Letra y música de Chris Sellmeyer ©1992, por Vida
   en la Palabra, Inc.

Tú eres la justicia de Dios en Jesucristo; en 2 Corintios 5:21 Pablo lo afirma: ❦ *Al que no conoció pecado* [Jesús], [el Padre] *le hizo [virtualmente] pecado por nosotros, para que fuéramos hechos justicia de Dios en Él.*

El Salmo 48:10 (BdlA) dice del Señor: ❦ *"Oh Dios, como es tu nombre, así es tu alabanza hasta los confines de la tierra, llena de justicia está tu diestra."*

La mano de Dios está extendida hacia ti, llena de justicia.

En 1 Corintios 1:8 el apóstol Pablo te asegura que: ❦ *"El cual también os confirmará hasta el fin, para que seáis irreprensibles en el día de nuestro Señor Jesucristo."*

¿Sabes lo que eso significa? Eso quiere decir que ahora estás a bien con Dios, quien te ve ahora correcto, justo. Hoy te tiene exactamente donde Él quería, y está dispuesto a defenderte de las mentiras de Satanás, el acusador de los hermanos. (Apocalipsis 12:10).

Si has puesto tu confianza en Jesucristo, Dios no te ve como culpable. Está dispuesto a aceptar tu inocencia.

En el Sermón del Monte, Jesús le dice a sus seguidores: ✌ *"Bienaventurados los que tienen hambre y sed de justicia, porque ellos serán saciados."* (Mateo 5:6.)

De acuerdo con Jesús, como hijo de Dios nacido de nuevo, tienes derecho a vivir en un estado en que disfrutas del favor de Dios, estás a bien con Él. Tienes derecho a disfrutar la vida. Ese es el don de Dios para ti.

Empieza a declarar esta afirmación: "Yo soy la justicia de Dios en Jesucristo."

Tal vez te has echado encima tus cargas tratando de ponerte a bien con Dios. Ese no es el modo en que consigues justificarte. La justificación, al igual que la salvación, no es por obras; es un don. Abandona tus esfuerzos y aprende a confiar en Dios para que te imparta la justicia de Cristo.

❧ *Echa sobre el Señor tu carga, y Él te sustentará; Él nunca permitirá que el justo sea sacudido.* (Salmo 55:22 BdlA.)

En Romanos 4:1-3 Pablo habla de la justicia de Abraham:

> ❧ *¿Qué diremos, entonces, que halló Abraham, nuestro padre según la carne?*
>
> *Porque si Abraham fue justificado por las obras, tiene de qué jactarse, pero no para con Dios.*
>
> *Porque ¿qué dice la Escritura? Creyó Abraham a Dios y le fue contado por justicia.*

Después en los versículos 23 y 24 Pablo se extiende para señalar:

❦ *Y no sólo por él fue escrito que
le fue contada, sino también por nosotros, a quienes será contada; como los
que creen en aquel que levantó de los
muertos a Jesús nuestro Señor.*

En otras palabras, lo que Pablo nos dice
aquí es que recibimos justicia por creer, no por
hacer.

Cuando creemos en Jesucristo, Dios nos
mira como justos. Literalmente, toma la decisión de considerarnos buenos a causa de la
sangre de Jesús. Él es el Dios soberano, y tiene
el derecho de tomar esa decisión si así lo
desea.

En el primer versículo del siguiente capítulo, Pablo resume su punto de vista: ❦ *"Por
tanto, habiendo sido justificados [absueltos]
por la fe, tenemos paz para con Dios por
medio de nuestro Señor Jesucristo."* (Romanos 5:1 BdlA.)

La justificación no viene mediante nuestras propias débiles obras, sino mediante la obra terminada de Jesús.

En el Salmo 37:25 (BdlA) David escribió: ❦ *"Yo fui joven y ya soy viejo, y no he visto al justo desamparado, ni a su descendencia mendigando pan."*

Creo que, como padre, si podemos aferrarnos a nuestra posición justificada con Dios a través de Cristo, nuestros hijos pueden adoptar esa justificación.

Los hijos criados por padres que se sienten culpables, condenados y sin valor, generalmente adoptan esos sentimientos de sus padres.

De la misma manera, si los padres comprenden y creen que Dios los ama, que son especiales para Él, que Dios tiene un buen plan para sus vidas, que ellos han sido justificados mediante la sangre de Cristo, entonces los hijos que viven bajo el manto de esa verdad, recibirán la influencia de la fe de sus padres y recibirán a Jesús y todas sus promesas como propias.

Proverbios 20:7 (BdlA) nos dice que ❦ *"El justo anda en su integridad; ¡cuán dichosos son sus hijos después de él!*

Y en el Salmo 37:39 (BdlA): ❦ *"Mas la salvación de los justos viene del Señor; Él es su fortaleza en el tiempo de la angustia."*

El Señor está de tu parte. Su Palabra es verdad, y promete paz, integridad, seguridad y triunfo sobre la oposición.

Aprende a declarar esta promesa del Señor, que se encuentra en Isaías 54:17 (BdlA): ❦ *"Ningún arma forjada contra ti prosperará, y condenarás toda lengua que se alce contra ti en juicio. Esta es la herencia de los siervos del Señor, y su justificación viene de mí —declara el Señor."*

49

En el Salmo 34:15 BdlA David nos dice:

❧ *"Los ojos del Señor están sobre los justos, y sus oídos atentos a su clamor."*

Eso literalmente quiere decir que Dios está vigilándote y escuchándote porque te ama.

Después en los versículos 17, 19 y 22, David prosigue diciendo:

❧ *Claman los justos y el Señor los oye, y los libra de todas sus angustias.*

*Muchas son las aflicciones del justo, pero de todas ellas lo libra el Señor.*

*El Señor redime el alma de sus siervos; y no será condenado ninguno de los que en Él se refugian.*

Desde el momento en que uno recibe a Jesús como Salvador, empieza a crecer en Él. Pudiera decirse que uno está en una travesía.

Durante el trayecto, uno cometerá algunos errores. Su ejecutoria puede no ser perfecta, pero si el corazón es perfecto hacia el Señor, creo que Él lo cuenta a uno como perfecto mientras está en el trayecto.

En Isaías 54:14 (BdlA), el Señor declara: ❦ *"En justicia serás establecida. Estarás lejos de la opresión, pues no temerás, y del terror, pues no se acercará a ti."*

Proverbios 28:1 dice que los justos están confiados como un león. Cuando uno sabe que está justificado mediante Cristo, cuando tiene la verdadera revelación en este terreno, no vivirá en miedo ni terror, porque la justificación produce valentía.

❦ *Porque no tenemos un sumo sacerdote que no pueda compadecerse de nuestras flaquezas, sino uno que ha sido tentado en todo como nosotros, pero sin pecado.*

> *Por tanto, acerquémonos con confianza al trono de la gracia para que recibamos misericordia, y hallemos gracia para la ayuda oportuna.*

Hebreos 4:15-16 BdlA

Podemos acercarnos al trono de la gracia de Dios con valentía, no por nuestra perfección, sino por la suya: ❦ *"Entonces mucho más, habiendo sido ahora justificados por su sangre, seremos salvos de la ira de Dios por medio de Él."* (Romanos 5:9 BdlA.)

Quizás te has preguntado toda tu vida: "¿Qué es lo que anda mal en mí?"

Si es así, te tengo buenas noticias: **¡te han enderezado! ¡te han hecho recto!**

Ahora hay algo **bueno** en ti.

Esto es algo que yo animo a la gente para que lo declare todo el tiempo: "Puede que no haya llegado adonde hace falta que llegue, pero gracias a Dios, no estoy donde estaba antes. Estoy bien y voy por buen camino."

Recuerda, el cambio es un proceso, y estás en ese proceso. En tanto que vas cambiando, Dios te ve recto y justo.

Tú **eres** recto. Es un estado en que Dios te ha colocado mediante la sangre de Jesús.

Los cambios que tienen lugar en tu vida son una manifestación de la posición de rectitud que Dios ya te ha concedido a través de la fe.

¡Gloria a Dios!

¡Esto es poderoso!

En tanto recibes el amor y la rectitud de Dios, serás liberado de la inseguridad y el temor al rechazo.

Ahora mismo, detente y declara: "Yo soy la justicia de Dios en Jesucristo." Te exhorto a empezar a confesar esa verdad muchas veces cada día.

En Romanos 14:17, el apóstol Pablo nos dice que ❧ *"Porque el reino de Dios no es comida ni bebida, sino justicia y paz y gozo en el Espíritu Santo."* La justificación conduce a la paz, y la paz conduce al gozo.

Si te han estado faltando la paz y el gozo, tal vez lo que te ha faltado es revelación de tu justificación. Dios sí que quiere bendecirte, física y financieramente.

Sin embargo, la mayoría de la gente culpable y condenada jamás recibe verdadera prosperidad. La Biblia nos enseña que el justo, aquellos que saben que son justos, prosperan, y son guardados salvos.

¿Sabes lo que el Señor dice de ti? En el Salmo 1:3, Él dice que el hombre que se deleita en la ley del Señor y en sus mandatos, es como un árbol plantado junto a corrientes de agua que da fruto a su tiempo. Su hoja no se marchita, y en todo lo que hace, prospera.

Medita en tu posición recta ante Dios, no en todo lo que es deficiente en ti.

Como hemos visto, en Josué 1:8 BdlA: ❧ *"Este libro de la ley no se apartará de tu boca, sino que meditarás en él día y noche, para que cuides de hacer todo lo que en él está escrito; porque entonces harás prosperar tu camino y tendrás éxito."*

Recuerda que en el Salmo 1:2-3 dice que cuando has meditado habitualmente en la Palabra de Dios día y noche, serás como ese árbol firmemente plantado que da su fruto a su tiempo y prospera en todo lo que hace.

Medita en la Palabra y habla la Palabra. Cuando Satanás ataque tu mente, contraataca con la Palabra de Dios. Recuerda, Jesús derrotó al diablo empleando la Palabra en sus respuestas: ❧ *"Escrito está"* (Lucas 4:4,8,10).

Proverbios 18:10 dice: ❦ *"El nombre del Señor es torre fuerte, a ella corre el justo y está a salvo."*

El Salmo 72:7 dice que del justo: ❦ *"Florezca la justicia en sus días, y abundancia de paz hasta que no haya luna."* Acepta tu justificación con Dios para que puedan empezar a florecer en paz.

Puedes estarte preguntando: "Pero, ¿y todas las cosas terribles que yo he hecho?"

Deseo recordarte las palabras que Dios dijo de Su pueblo, y que aparecen en Hebreos 10:16-18 (BdlA):

❦ *Este es el pacto que haré con ellos después de aquellos días —dice el Señor: "Pondré mis leyes en su corazón, y en su mente las escribiré, añade: Y nunca más me acordaré de sus pecados e iniquidades. Ahora bien, donde hay perdón de estas cosas, ya no hay ofrenda por el pecado.*

En otras palabras, tus pecados han sido borrados por completo, junto con el castigo correspondiente a ellos. Desde que Jesús hizo una obra tan profunda y completa, nada podrías hacer para compensar tus pecados. Lo único que puedes hacer que agradará a Dios es aceptar, por fe, lo que Él quiere otorgarte libremente.

Hebreos 10:19-20 dice de Jesús que por su sacrificio abrió un ❦ *"camino nuevo y vivo"* por donde podemos ser llenos de libertad y confianza para entrar en su presencia *"por el poder y la virtud"* que hay en su sangre.

Ya no hace falta que haya un velo separándote de Dios.

¡Qué noticia tan gloriosa!

Puedes entrar valientemente y confraternizar con Dios porque tus pecados han sido borrados, quitados y olvidados.

¡Regocíjate! ¡Eres la justicia de Dios en Cristo! (2 Corintios 5:21.)

# 4

# Venciendo el miedo en tu vida

¿Sientes temores por ti?

En la canción "No temas, hijo mío", el Señor pronuncia estas palabras de vida:

"No temas, hijo mío

Yo estoy siempre contigo.

Siento todos tus dolores

Y veo todas tus lágrimas.

No temas, hijo mío

Yo estoy siempre contigo.

Sé cómo cuidar lo que es mío."[1]

En 2 Timoteo 1:7 el apóstol Pablo le escribe a su joven discípulo para instarlo a no tener miedo de ejercer su ministerio:

🌱 *"Porque no nos ha dado Dios espíritu de cobardía, sino de poder, de amor y de dominio propio."*

Recuerda ese versículo. Memorízalo y repítelo cada vez que sientas la tentación de tener miedo o ansiedad.

El miedo no es de Dios. Satanás es el que quiere llenar tu corazón de miedo. Dios tiene un plan para tu vida. Recibe su plan poniendo

---

1. Letra y música de Carman [189] 1985 Some-O-Dat Music (Administrado por Dayspring Music, una división de Word, Inc.) BMI.

tu fe en Él. Pero recuerda, Satanás también tiene un plan para tu vida. Tú recibes su plan a través del miedo.

El salmista David escribió: ❦ *"Busqué al Señor, y Él me respondió, y me libró de todos mis temores"* (Salmo 34:4).

Jesús es tu libertador. Cuando lo buscas con diligencia, Él te librará de todos tus temores. En Juan 14:27, Él les dice a sus asustados discípulos: ❦ *"No se turbe vuestro corazón ni tenga miedo."*

Eso significa que tendrás que pararte firme contra el miedo. Toma la decisión hoy de que no seguirás permitiendo que un espíritu de temor te intimide y domine tu vida.

En el Salmo 56:3-4 David dice del Señor:

> ❦ *El día en que temo, yo en ti confío. En Dios, cuya palabra alabo, en Dios he confiado, no temeré. ¿Qué puede hacerme el hombre?"*

En Isaías 41:10 el Señor le asegura a su pueblo: ❦ *"No temas, porque yo estoy contigo; no te desalientes, porque yo soy tu Dios. Te fortaleceré, ciertamente te ayudaré, sí te sostendré con la diestra de mi justicia."*

El autor de Hebreos 13:5 (BdlA) advierte contra el procurar las posesiones y seguridad terrenales, recordándonos: ❦ *"Sea vuestro carácter sin avaricia, contentos con lo que tenéis, porque Él mismo ha dicho: 'Nunca te dejaré ni te desampararé'".*

Después en el versículo 6 el escritor prosigue diciendo: ❦ *"de manera que decimos confiadamente: El Señor es el que me ayuda; no temeré. ¿Qué podrá hacerme el hombre?"*

El miedo es una **falsa evidencia que parece real.** El enemigo quiere convencerte de que tu situación actual es evidencia de que tu futuro será un fracaso, pero la Biblia nos enseña que no importa cuál sea nuestra situación presente, no importa lo mal que parezcan las cosas, nada es imposible con Dios. (Marcos 9:17-23.)

En Isaías 41:13 (BdlA) se nos dice: ❦ *"Porque yo soy el Señor tu Dios que sostiene tu diestra, que te dice: 'No temas, yo te ayudaré'"*. Esto quiere decir que no tienes que sentir temor cuando oigas malas noticias. Mantén tu confianza en Dios. Él puede hacer que todas las cosas obren para tu bien.

En Romanos 8:28 el Apóstol Pablo nos recuerda que todas las cosas ayudan al bien de los que aman a Dios, a los que según Su propósito son llamados.

En Isaías 43:1-3 BdlA leemos: ❦ *"Mas ahora, así dice el Señor tu Creador, ... y el que te formó, ... No temas, porque yo te he redimido, te he llamado por tu nombre; mío eres tú. Cuando pases por las aguas, yo estaré contigo, y si por los ríos, no te anegarán, cuando pases por el fuego, no te quemarás, ni la llama te abrasará. Porque yo soy el Señor tu Dios, el Santo de Israel, tu Salvador..."*

Aprende a declarar en voz alta estas escrituras acerca del miedo. Díselas al aire cuando estés solo. Deja establecido en el plano espiritual que no tienes intenciones de vivir con miedo. Al declarar la Palabra de Dios, le estás notificando al diablo que tú no piensas llevar una vida de temores.

Recuerda, la Biblia dice que el miedo implica que se teme el castigo, lo que demuestra que no se está convencido del amor de Dios (1 Juan 4:18). Jesús murió para librarnos del castigo, como vemos en Efesios 3:12-13, donde Pablo nos dice:

> ❦ *"En quien tenemos seguridad y acceso con confianza por medio de la fe en Él [Jesucristo]; por lo cual pido que no desmayéis [por causa del miedo]...*

En el Salmo 46:1-2 (BdlA) se nos recuerda:

❦ *"Dios es nuestro refugio y forta-*
*leza, nuestro pronto auxilio en las tri-*
*bulaciones. Por tanto, no temeremos*
*aunque la tierra sufra cambios, y aun-*
*que los montes se deslicen al fondo de*
*los mares.*

En el primer capítulo de Josué, Dios repeti-
damente exhorta a Josué a ser ❦ *"fuerte y*
*valiente" (v.6)*, asegurándole ❦ *"el Señor tu*
*Dios estará contigo dondequiera que vayas"*
(v.9). Por lo tanto nada tienes que temer. Y el
mensaje del Señor para ti es el mismo que le
dio a Josué.

Dios está contigo. Jamás te dejará ni te
desamparará. (Hebreos 13:5.) Sus ojos no se
apartan de ti ni un momento. (Salmo 33:18.)
Te tiene grabado en las palmas de sus manos
(Isaías 49:16) Por lo tanto, no tienes por qué
temer. Sé fuerte, seguro de ti mismo, lleno de
valor, no tengas miedo.

En Mateo 6:34, en el Sermón del Monte, Jesús les enseñó a sus seguidores: ❦ *"Así que no os afanéis por el día de mañana, porque el día de mañana traerá su afán. Basta a cada día su propio mal."*

En Mateo 8:23-27 leemos de cuando los discípulos se asustaron por la tormenta en el mar y ❦ *"Él les dijo: '¿Por qué teméis, hombre de poca fe?' Entonces, levantándose, reprendió a los vientos y al mar; y se hizo grande bonanza" (v. 26).*

En Lucas 12:25-26 BdlA Jesús pregunta: ❦ *"¿Y quién de vosotros, por ansioso que esté, puede añadir una hora al curso de su vida? Si vosotros pues, no podéis hacer algo tan pequeño, ¿por qué os preocupáis por lo demás?"*

*"No temas,"* dijo Isaías en el capítulo 54, versículo 4 (BdlA); ❦ *"pues no serás avergonzada; ni te sientas humillada, pues no serás agraviada; sino que te olvidarás de la vergüenza de tu juventud, y del oprobio de tu*

*viudez no te acordarás más. Porque tu esposo es tu Hacedor, el Señor de los ejércitos es su nombre; y tu Redentor es el Santo de Israel, que se llama Dios de toda la tierra." (vv.4-5)*

Y en Isaías 35:4 leemos: ❦ *"Decid a los de corazón tímido: Esfozaos, no temáis. He aquí, vuestro Dios viene con venganza; la retribución vendrá de Dios mismo, mas Él os salvará".*

Pídele a Dios que te fortalezca en tu ser interior, que su poder y potencia te llenen, y que no puedas ser vencido por la tentación de ceder al miedo. (Efesios 3:16.)

Me gustaría contarte una gran revelación que Dios me dio respecto al miedo. Cuando el Señor nos habla mediante su Palabra y dice: ❦ *"No temas,"* Él no nos está mandando a no sentir miedo. Lo que en realidad nos dice es: "Cuando sientas miedo, o sea, cuando el diablo te ataque con temores, no retrocedas ni huyas, sino avanza y sigue adelante aunque sientas miedo."

Durante muchos años pensé que yo era una cobarde cuando me asustaba. Ahora he aprendido que la forma de vencer el miedo es embestirlo, enfrentarlo y avanzar contra él, llevando a cabo lo que Dios me ha dicho que haga, aunque tenga que hacerlo sintiendo miedo.

En la versión de *La Biblia al Día,* en el Salmo 34:4, David dice del Señor: ✿ *"Porque clamé a Él y Él me respondió. Me libró de todos mis temores."* Y Juan nos recuerda: *"No hay por qué temer a quien tan perfectamente nos ama. Su perfecto amor elimina cualquier temor. Si alguien siente miedo es miedo al castigo lo que siente, y con ello demuestra que no está absolutamente convencido de su amor hacia nosotros."* (1 Juan 4:18.)

Recuerda, ¡Dios te ama! Y porque te ama y cuida de ti con un amor perfecto, puedes vivir libre de temores.

Tal vez sientas tantos temores en tu vida a estas alturas, que el vivir libre de miedo parece como un sueño imposible. Si es así, hay algo que necesitas recordar: Dios puede liberarte totalmente de cualquier problema, todos de un golpe, pero con frecuencia libera poco a poco. Por lo tanto, ten ánimo que el Señor está obrando en ti. Dios ha comenzado la buena obra en ti, y la **completará.** (Filipenses 1:6.)

❦ *"El Señor es mi luz y mi salvación; ¿a quién temeré? El Señor es la fortaleza de mi vida; ¿de quién tendré temor?* pregunta el salmista en el capítulo 27, versículo 1 (BdlA). ❦ *"Cuando para devorar mis carnes vinieron sobre mí los malhechores, mis adversarios y mis enemigos, ellos tropezaron y cayeron. Aunque un ejército acampe contra mí, no temerá mi corazón, aunque en mi contra se levante guerra, a pesar de ello, estaré confiado."*

En los versículos 5 y 6 de ese mismo pasaje, David prosigue diciendo que cuando llegue el problema, Dios lo esconderá. Él lo pondrá en alto sobre una roca, fuera del alcance de sus enemigos. Entonces dice que él llevará al Señor sacrificios y cantará sus alabanzas con gran júbilo.

Lo que Dios hizo por el rey David, lo hará por ti. Pon tu fe en el Señor. Él tiene el poder de liberarte de todo temor.

Escucha estas palabras que el Ángel del Señor dirigió a Daniel, dándole seguridad de que sus oraciones habían sido escuchadas sin duda: ❦ *"No temas, Daniel, porque desde el primer día en que te propusiste en tu corazón entender y humillarte delante de tu Dios, fueron oídas tus palabras, y a causa de tus palabras he venido."* (Daniel 10:12, BdlA.)

El diablo tratará de decirte que Dios no ha escuchado tu oración y que no te responderá. Recuerda que la Palabra de Dios es la espada del Espíritu. (Efesios 6:17.) Con la espada de la Palabra, derrotas al enemigo. Guarda estas escrituras en tu corazón, medita en ellas día y noche.

Únicamente con la Palabra de Dios podrás vencer al enemigo. Sólo cuando conozcas la Palabra de Dios podrás reconocer las mentiras de Satanás. Declara la Palabra de Dios, y ella te conducirá a la victoria.

Quizás tengas miedo de hablarle a alguien que tiene autoridad sobre ti. Tal vez has sido acusado de algo y te preocupa qué debes decir para defenderte. Escucha las palabras de Jesús en Lucas 12:11-12 Biblia al Día: *"Cuando los lleven a juicio ante los magistrados y las autoridades ... no se preocupen por lo que han de decir para defenderse. El Espíritu Santo les dará las palabras adecuadas allí mismo ante ellos."*

Cuando sientas la tentación de entregarte al miedo, repite el Salmo 23:1-6 como tu confesión de fe en el Señor y en su provisión para ti y su cuidado vigilante sobre ti:

❦ *El Señor es mi pastor, nada me faltará.*

*En lugares de delicados pastos me hará descansar, junto a aguas de reposo me pastoreará.*

*Confortará mi alma; me guiará por sendas de justicia por amor de Su nombre.*

*Aunque ande en valle de sombra de muerte, no temeré mal alguno porque tú estarás conmigo; tu vara y tu callado me infundirán aliento.*

*Aderezas mesa delante de mí en presencia de mis angustiadores; unges mi cabeza con aceite; mi copa está rebosando.*

*Ciertamente el bien y la misericordia me seguirán todos los días de mi vida.*

*Y en la casa del Señor moraré por largos días.*

# Conclusión:
# ¡Manténte firme!

En este libro comparto contigo escrituras relativas al amor de Dios, el glorioso futuro que Él ha planeado para ti, tu justificación en Cristo y la liberación del temor.

Todas las promesas registradas en estas escrituras son nuestra herencia como siervos del Señor. Sin embargo, necesitas saber que el diablo tratará de robártelas. Él quiere que vuelvas a su yugo.

Por eso el apóstol Pablo nos dice en Gálatas 5:1 (RV): *"Estad pues firmes en la libertad con que Cristo nos hizo libres, y no estéis otra vez sujetos al yugo de esclavitud."*

Algunas de las claves para la vida cristiana victoriosa son la inmutabilidad, la constancia, la paciencia y la resistencia:

> ❦ *"No perdáis, pues, vuestra confianza, que tiene grande galardón; porque os es necesaria la paciencia para que habiendo hecho la voluntad de Dios, obtengáis la promesa.".*

> Hebreos 10:35-36 (RV).

Tu Padre celestial quiere que disfrutes a plenitud lo que ha comprado para ti con la sangre de Jesucristo. Sé resuelto. Ahora mismo toma la decisión de que **jamás** te darás por vencido. Confiesa las escrituras que aparecen en el siguiente capítulo hasta que se hayan convertido en parte de tu mismo ser.

Recuerda siempre que Dios te ama, y que hay vida en su Palabra.

# Declarando las Escrituras

## Introducción:
## La Palabra de Dios [1]

[Dios] envía su palabra, y me sana, y me libra de la ruina. (Salmo 107:20 (RV)

Bienaventurado soy, porque no ando en consejo de malos, ni estoy en camino de pecadores, ni en silla de escarnecedores me he sentado.

---

1. La autora ha personalizado las confesiones para el lector, al parafrasear las escrituras referidas, poniéndolas en primera persona singular.

Sino que en la ley del Señor está mi delicia, y en su ley medito de día y de noche.

Seré como árbol plantado junto a corrientes de aguas, que da su fruto en su tiempo y su hoja no cae; y todo lo que hago, prospera. (Salmo 1:1-3.)

Este libro de la ley no se apartará de mi boca, sino que meditaré en él día y noche, para cuidar de hacer todo lo que en él está escrito; porque entonces haré prosperar mi camino y tendré éxito (Josué 1:8 BdlA).

La Palabra está muy cerca de mí, en mi boca y en mi corazón, para que la guarde. (Deuteronomio 30:14 BdlA.)

Así será la Palabra de Dios que sale de mi boca; no volverá a Él vacía sin haber realizado lo que Él desea, y logrado el propósito para el cual la envió. (Isaías 55:11 BdlA.)

Por tanto yo, mirando a cara descubierta como en un espejo la gloria del Señor, soy transformado de gloria en gloria en la misma imagen, como por el Espíritu del Señor. (2 Corintios 3:18 RV.)

La Palabra de Dios es verdad. Mientras la estudio y medito en ella, conoceré la verdad, y la verdad me hará libre. (Juan 17:17; 8:32.)

## Capítulo 1 : El amor de Dios

En todas estas cosas soy más que vencedor por medio de aquel que me amó.

Por lo cual estoy seguro de que ni la muerte, ni la vida, ni ángeles, ni principados, ni potestades, ni lo presente, ni lo por venir, ni lo alto, ni lo profundo, ni ninguna otra cosa creada me podrá separar del amor de Dios, que es en Cristo Jesús Señor mío. (Romanos 8:37-39 RV.)

Porque de tal manera me amó Dios, que dio a Su Hijo unigénito por mí, para que yo que creo en Él no me pierda, mas tenga vida eterna. (Juan 3:16.)

Pues el Padre mismo me ama, porque yo amo a Jesús, y creo que Él vino del Padre. (Juan 16:27.)

Puesto que yo tengo los mandamientos de Jesús y los guardo, yo lo amo; y como amo a Jesús seré amado por el Padre; y Jesús me amará y se manifestará a mí. (Juan 14:21.)

Yo amo al Señor, porque Él me amó primero. (1 Juan 4:19 RV.)

¡Cuán preciosa, oh Dios, es tu misericordia! Por eso yo me amparo bajo la sombra de tus alas. (Salmo 36:7.)

Oh Señor, tú me has escudriñado y conocido. Tú conoces mi sentarme y mi levantarme; desde lejos comprendes mis pensamientos. Tú escudriñas mi senda y mi descanso, y conoces bien todos mis caminos. Aun antes de que haya palabra en mi boca, he aquí, oh Señor, Tú ya la sabes toda. Por detrás y por delante me has cercado, y tu mano pusiste sobre mí.

Tal conocimiento es demasiado maravilloso para mí, es muy elevado, no lo puedo alcanzar. ¿Adónde me iré de tu Espíritu, o adónde huiré de tu presencia?

¡Cuán preciosos también son para mí, oh Dios, tus pensamientos! ¡Cuán inmensa es la suma de ellos! Si los contara, serían más que la arena; al despertar aún estoy contigo. (Salmo 139:1-7,17-18 BdlA.)

Por tanto, el Señor espera para tener piedad de mí, y por eso se levantará para tener compasión de mí, porque el Señor es un Dios de justicia, ¡cuán bienaventurado soy porque espero en Él. (Isaías 30:18, BdlA.)

El Señor no me dejará huérfano; vendrá a mí. (Juan 14:18 RV.)

Aunque mi padre y mi madre me hayan abandonado, el Señor me recogerá. (Salmo 27:10 BdlA.)

Cristo por la fe [realmente] habita en mi corazón, a fin de que, arraigado y cimentado en amor, yo sea plenamente capaz de comprender con todos los santos cuál sea la anchura, la longitud, la profundidad y la altura, [de Su amor] y de conocer el amor de Cristo, que excede a todo conocimiento, para que sea lleno de toda la plenitud de Dios. (Efesios 3:17-19 RV.)

Como el Padre lo ama a Él, así también Jesús me ama, y permanezco en su amor. Nadie tiene mayor amor que este: que Él ponga su vida por mí. (Juan 15:9,13 RV.)

Dios muestra su amor para conmigo, en que siendo aún pecador, Cristo murió por mí. (Romanos 5:8 RV.)

Tan sobreabundante es su amor que, con la sangre de Su Hijo, borró mis pecados y me salvó. Además, derramó sobre mí la inmensidad de su gracia al impartirme sabiduría y entendimiento. (Efesios 1:7 Biblia al Día.)

Porque los montes serán quitados y las colinas temblarán, pero la misericordia de Dios no se apartará de mí, y el pacto de su paz no será quebrantado —dice el Señor, que tiene compasión de mí. (Isaías 54:10 BdlA.)

Fiel es Dios, por el cual fui llamado a la comunión con su Hijo Jesucristo nuestro Señor. (1 Corintios 1:9 RV.)

Bendice, alma mía, al Señor, y bendiga todo mi ser su santo nombre.

Bendice, alma mía, al Señor, y no olvides ninguno de sus beneficios.

Él es el que perdona todas mis iniquidades, El que sana todas mis enfermedades.

El que rescata de la fosa mi vida, el que me corona de bondad y compasión.

[Él] colma de bienes mis años, para que mi juventud se renueve como el águila. El Señor hace justicia y juicio a favor de todos los oprimidos. (Salmo 103:1-6 BdlA.)

Él es misericordioso, tierno para quienes no lo merecen; es lento para enojarse y lleno de bondad y amor. Nunca guarda rencor, ni permanece enojado para siempre, ... porque su misericordia para quienes le temen y honran es tan grande como la altura de los cielos sobre la tierra. Ha arrojado mis pecados tan lejos de mí como está el oriente del occidente. Es para mí como un padre, tierno y cariñoso para conmigo porque lo reverencio....

La amorosa bondad del Señor permanece por los siglos de los siglos... (Salmo 103:6,8,9,11-13,17 Biblia al Día.)

...yo por confiar en el Señor, estoy rodeado de perenne amor. (Salmo 32:10b Biblia al Día.)

Alabaré al Señor, pase lo que pase. Constantemente hablaré de sus glorias y de su gracia. Me gloriaré de todas sus bondades para conmigo. Anímense todos los desalentados. Alabemos juntos al Señor, y ensalcemos su nombre.

Porque clamé a Él y Él me respondió. Me libró de todos mis temores. Otros también estaban radiantes por lo que Él había hecho por ellos. No estaban cabizbajos ni avergonzados. Este pobre clamó al Señor; el Señor lo escuchó y lo libró de todas sus tribulaciones. Porque el ángel del Señor guarda y libra a todos los que le reverencian.

¡Pongan a prueba a Dios, y verán cuán bueno es! Comprueben por experiencia propia cómo se derraman sus misericordias sobre todos los que confían en Él. (Salmo 34:1-8 Biblia al Día.)

## Capítulo 2: Tu futuro

Todos los días del afligido son malos, pero como tengo el corazón alegre, tengo un banquete continuo. (Proverbios 15:15 BdlA.)

Hubiera yo desmayado si no hubiese creído que había de ver la bondad del Señor.

Espero al Señor; me esfuerzo y aliento mi corazón. Sí, espero al Señor. (Salmo 27:13-14 BdlA.)

Yo sé que los planes que tiene el Señor para mí son planes de bienestar y no de calamidad, para darme un futuro y una esperanza. (Jeremías 29:11 BdlA.)

¿Por qué te abates, alma mía, y por qué te turbas dentro de mí? Espero en Dios pues he de alabarlo otra vez. ¡Él es la salvación de mi ser, y mi Dios! (Salmo 42:11 BdlA.)

La esperanza no desilusiona, porque el amor de Dios ha sido derramado en mi corazón por medio del Espíritu Santo que me fue dado. (Romanos 5:5 BdlA.)

Sol y escudo es el Señor Dios; gracia y gloria da el Señor; nada bueno niega a los que andan en integridad. (Salmo 84:11 BdlA.)

Estoy seguro de que Dios, que comenzó en mí la buena obra, me seguirá ayudando a crecer en su gracia hasta que la obra que realiza en mí quede completa en el día en que Jesucristo regrese. (Filipenses 1:6 Biblia al Día.)

Porque soy hechura suya, creado en Cristo Jesús para hacer buenas obras, las cuales Dios preparó de antemano para que anduviera en ellas. (Efesios 2:10 BdlA.)

Porque hay un tiempo para cada cosa y para cada obra. Me humillo, pues, bajo la poderosa mano de Dios para que Él me exalte a su debido tiempo. (Eclesiastés 3:17; 1 Pedro 5:6.)

Las cosas que planea [Dios] no ocurrirán inmediatamente. Lentamente, con tranquilidad, pero con certeza, se acerca el tiempo en que la visión se cumplirá. Si parece muy lento, no desesperaré, porque estas cosas tendrán que ocurrir. (Habacuc 2:3 Biblia al Día.)

De estas dos cosas que no pueden cambiarse y en las que Dios no puede mentir, recibo un firme consuelo, yo que he buscado la protección de Dios y he confiado en la esperanza que Él me ha dado. Esta esperanza mantiene firme y segura mi alma, igual que el ancla mantiene firme al barco. Es una esperanza que ha penetrado hasta detrás del velo en el templo celestial. (Hebreos 6:18-19.)

[No tengo miedo porque] Sé [y estoy seguro de] que si amo a Dios y me adapto a sus planes, todo cuanto me suceda ha de ser para mi bien. (Romanos 8:28.)

Gloria sea a Dios, quien por el formidable poder que actúa en mí, puede bendecirme infinitamente más allá de mis más sentidas oraciones, deseos, pensamientos y esperanzas. (Efesios 3:20 Biblia al Día.)

En Él también he obtenido herencia, habiendo sido predestinado según el propósito de aquel que obra todas las cosas conforme al consejo de su voluntad. (Efesios 1:11 BdlA.)

Este libro de la ley no se apartará de mi boca, sino que meditaré en él día y noche, para cuidar de hacer todo lo que en él está escrito; porque entonces haré prosperar mi camino y tendré éxito. (Josué 1:8 BdlA.)

La Palabra está muy cerca de mí, en mi boca y en mi corazón, para guardarla. (Deuteronomio 30:14 BdlA.)

Así será la Palabra de Dios que sale de mi boca, no volverá a Él vacía sin haber realizado lo que Él desea, y logrado el propósito para el cual la envió. (Isaías 55:11 BdlA.)

Por tanto yo, mirando a cara descubierta como en un espejo la gloria del Señor, soy transformado de gloria en gloria en la misma imagen, como por el Espíritu del Señor. (2 Corintios 3:18 RV.)

Yo no me adapto a este mundo, sino que me transformo mediante la renovación de mi mente, para que verifique cuál es la voluntad de Dios: lo que es bueno, aceptable y perfecto. (Romanos 12:2 BdlA.)

A mí, Dios quiso darme a conocer cuáles son las riquezas de la gloria de este misterio entre los gentiles, que es Cristo en mí, la esperanza de la gloria. (Colosenses 1:27 BdlA.)

Como Dios, yo llamo a las cosas que no son, como si fueran, y declaro que soy linaje escogido, real sacerdocio, nación santa, pueblo adquirido para posesión de Dios, a fin de que anuncie las virtudes de aquel que me llamó de las tinieblas a su luz admirable. (Romanos 4:17; 1 Pedro 2:9 BdlA.)

Seré de Dios, pues lo dice el Señor de los Ejércitos, en el día en que Él haga sus joyas. Y me perdonará como el hombre que perdona al hijo obediente y cumplido. (Malaquías 3:17 Biblia al Día..)

Como el apóstol Pablo, yo no considero haberlo ya alcanzado, pero una cosa hago: olvidando lo que queda atrás y extendiéndome a lo que está delante, prosigo hacia la meta para obtener el premio del supremo llamamiento de Dios en Cristo Jesús. (Filipenses 3:13-14.)

No recuerdo las cosas anteriores, ni considero las cosas del pasado.

He aquí, el Señor está haciendo algo nuevo, ahora acontece; ¿no lo percibís? Aun en los desiertos Dios hará caminos y ríos en el yermo [para mí]. (Isaías 43:18-19 BdlA.)

[Porque le pertenezco,] el Señor borra mis transgresiones por amor a sí mismo, y no recuerda mis pecados. (Isaías 43:25 BdlA.)

Como yo espero en el Señor, renuevo mis fuerzas; me remonto con alas como las águilas, corro y no me canso, camino y no me fatigo. (Isaías 40:31 BdlA.)

¡Yo estoy completamente seguro de que Dios puede cumplir cualquier promesa! (Romanos 4:21 Biblia al Día.)

## Capítulo 3: Tu justicia en Cristo

Al que no conoció pecado [Jesús], [el Padre] por mí lo hizo pecado, para que yo fuese hecho justicia de Dios en Él. (2 Corintios 5:21 RV.)

Conforme a tu nombre, oh Dios, así es tu loor hasta los fines de la tierra; de justicia está llena tu diestra (Salmo 48:10 RV.)

Él también me confirmará hasta el fin, para que sea irreprensible en el día de nuestro Señor Jesucristo. (1 Corintios 1:8 RV.)

Bienaventurado soy por tener hambre y sed de justicia, porque seré saciado. (Mateo 5:6 RV.)

Yo llevo mis cargas al Señor y Él las lleva sobre sí. No permite que yo resbale o caiga. (Salmo 55:22 Biblia al Día.)

No sólo por él [Abraham] fue escrito que le fue contada [su fe por justicia] sino también por mí, a quien será contada porque creo en aquel que levantó de los muertos a Jesús nuestro Señor. (Romanos 4:23-24 BdlA.)

Por tanto, habiendo sido justificado por la fe, tengo paz para con Dios por medio de nuestro Señor Jesucristo. (Romanos 5:1 BdlA.)

Como soy una persona justa, ando en mi integridad. ¡Cuán dichosos son mis hijos después de mí! (Proverbios 20:7 BdlA.)

Mi salvación como justo viene del Señor; Él es mi fortaleza en el tiempo de angustia. (Salmo 37:39 BdlA.)

Ningún arma forjada contra mí prosperará, y condenaré toda lengua que se alce contra mí en juicio. Esta es mi herencia como siervo del Señor, y mi justificación viene de Él. Así declara el Señor. (Isaías 54:17 BdlA.)

Los ojos del Señor están sobre los justos como yo, y sus oídos atentos a mi clamor.

Yo clamo y el Señor me oye, y me libra de todas mis angustias.

Muchas son las aflicciones del justo como yo, pero de todas ellas me libra el Señor.

El Señor redime mi alma como siervo suyo y no seré condenado porque en Él me refugio. (Salmo 34:15,17,19,22 BdlA.)

En justicia me estableceré. Estaré lejos de la opresión, pues no temeré, y del terror, pues no se acercará a mí (Isaías 54:14 BdlA).

Como soy inflexiblemente justo, estoy confiado como un león. (Proverbios 28:1 BdlA.)

No tengo un Sumo Sacerdote que no pueda compadecerse de mis flaquezas, sino uno que ha sido tentado en todo como yo, pero sin pecado.

Por tanto, me acerco confiado al trono de la gracia para recibir misericordia, y hallar gracia para la ayuda oportuna. (Hebreos 4:15-16 BdlA.)

Habiendo sido ahora justificado por su sangre, seré salvo de la ira de Dios por medio de Él. (Romanos 5:9 BdlA.)

¡Cuán bienaventurado soy yo que no ando en el consejo de los impíos, ni me detengo en el camino de los pecadores, ni me siento en la silla de los escarnecedores, sino que en la ley del Señor está mi deleite, y en su ley medito de día y de noche!

Seré como árbol firmemente plantado junto a corrientes de agua, que da su fruto a su tiempo y su hoja no se marchita; en todo lo que hago, prospero. (Salmo 1:1-3 BdlA.)

Este libro de la ley no se apartará de mi boca, sino que meditaré en él día y noche, para cuidar de hacer todo lo que en él está escrito; porque entonces haré prosperar mi camino y tendré éxito. (Josué 1:8 BdlA.)

El nombre del Señor es torre fuerte, a ella corro, como justo, y estoy a salvo. (Proverbios 18:10 BdlA.)

La justicia florecerá en mis días y tendré abundancia de paz hasta que no haya luna. (Salmo 72:7 BdlA.)

Este es el pacto que Dios ha hecho conmigo: Él ha impreso sus leyes en mi corazón y las ha escrito en mi mente.

Y nunca más se acordará de mis pecados e iniquidades.

Ahora bien, donde hay perdón de estas cosas, ya no tengo que hacer ofrenda alguna para justificarme por mi pecado. (Hebreos 10:19-20.)

Al que no conoció pecado [Jesús], [el Padre] le hizo pecado por mí, para que fuera hecho justicia de Dios en Él. (2 Corintios 5:21 RV.)

## Capítulo 4: Venciendo el miedo

Porque no me ha dado Dios espíritu de cobardía, sino de poder, de amor y de dominio propio. (2 Timoteo 1:7 RV.)

Busqué al Señor, y Él me respondió, y me libró de todos mis temores. (Salmo 34:4 BdlA.)

Nunca permito que se turbe mi corazón, ni tengo miedo. (Juan 14:27 RV.)

El día en que temo, en Dios confío. En Dios cuya palabra alabo, en Dios he confiado, no temeré. ¿Qué puede hacerme el hombre? (Salmo 56:3-4 BdlA.)

No temo, porque el Señor está conmigo; no me desaliento, porque Él es mi Dios. El Señor me fortalece, y ciertamente me ayuda, sí, me sostiene con la diestra de su justicia. (Isaías 41:10 BdlA.)

En mi carácter no hay avaricia, pues estoy contento con lo que tengo, porque Él mismo me ha dicho que nunca me dejará ni me desamparará, de manera que digo confiado: el Señor es el que me ayuda; no temeré. ¿Qué podría hacerme el hombre? (Hebreos 13:5-6 BdlA.)

Porque Dios me ha dicho que Él es el Señor mi Dios, que sostiene mi diestra; que me dice: "No temas, yo te ayudaré." (Isaías 41:13 BdlA.)

Y sé que para mí, que amo a Dios, todas las cosas cooperan para bien, esto es, para mí que fui llamado conforme a su propósito. (Romanos 8:28 BdlA.)

No temo, porque Dios me ha redimido, me ha llamado por mi nombre; suyo soy yo. Cuando pase por las aguas, Él estará conmigo, y si por los ríos, no me anegarán; cuando pase por el fuego, no me quemaré, ni la llama me abrasará. Porque Él es el Señor mi Dios, el Santo de Israel, mi Salvador. (Isaías 43:1-3 BdlA.)

No temeré, porque no tengo miedo al castigo. Su perfecto amor elimina cualquier temor que yo pudiera sentir. Y Ahora puedo acercarme sin temor a la presencia de Dios, seguro de que seré bien recibido cuando lo haga por medio de Cristo y confiando en Él. Por eso no desmayo ni me desanimo. (1 Juan 4:18; Efesios 3:12-13 BdlA.)

Dios es mi amparo y fortaleza, mi pronto auxilio en las tribulaciones. Por lo tanto, no temeré, aunque la tierra sea removida, y se traspasen los montes al corazón del mar. (Salmo 46:1-2 RV.)

El Señor me ha ordenado ser fuerte y valiente. No temo ni me acobardo, porque el Señor mi Dios estará conmigo dondequiera que vaya. (Josué 1:9 BdlA.)

Los ojos del Señor están sobre mí que le temo, sobre los que, como yo, esperan en su misericordia. (Salmo 33:18 BdlA.)

Yo no me afano por el día de mañana, porque el día de mañana traerá su afán. (Mateo 6:34 RV.)

No temo, pues no seré avergonzado ni me siento humillado, pues no seré agraviado; sino que me olvidaré de la vergüenza de mi juventud. (Isaías 54:4 BdlA.)

El Señor [me ha dicho] esfuérzate, no temas; he aquí que yo tu Dios vengo con retribución, con pago; yo mismo vendré, y te salvaré. (Isaías 35:4 RV.)

El Señor me ha concedido, conforme a las riquezas de su gloria, ser fortalecido con poder por su Espíritu en mi hombre interior. (Efesios 3:16 BdlA.)

Yo engrandezco a Dios y exalto su nombre, pues busqué al Señor, y Él me respondió, y me libró de todos mis temores. (Salmo 34:3-4 BdlA.)

No temeré, porque no tengo miedo al castigo. Su perfecto amor elimina cualquier temor que yo pudiera sentir. (1 Juan 4:18 BdlA.)

El Señor es mi luz y mi salvación; ¿a quién temeré? El Señor es la fortaleza de mi vida; ¿de quién tendré temor?

Cuando para devorar mis carnes vinieron sobre mí los malhechores, mis adversarios y mis enemigos, ellos tropezaron y cayeron.

Aunque un ejército acampe contra mí, no temerá mi corazón; aunque en mi contra se levante guerra, a pesar de ello, estaré confiado.

Porque en el día de la angustia me esconderá en su tabernáculo; en lo secreto de su tienda me ocultará; sobre una roca me pondrá en alto. Entonces será levantada mi cabeza sobre mis enemigos que me cercan y en su tienda ofreceré sacrificios con voces de júbilo; cantaré, sí, cantaré alabanzas al Señor. (Salmo 27:1-3,5-6 BdlA.)

No temo, porque desde el primer día en que me propuse en mi corazón entender y humillarme delante de mi Dios, fueron oídas mis palabras, y a causa de mis palabras el Señor ha enviado a su ángel. (Daniel 10:12 RV.)

Cuando me lleven a juicio ante los magistrados y las autoridades, no me preocuparé por lo que he de decir para defenderme, porque el Espíritu Santo me dará las palabras adecuadas allí mismo ante ellos. (Lucas 12:11-12 Biblia al Día.)

El Señor es mi Pastor, nada me faltará.

En lugares de delicados pastos me hace descansar. Junto a aguas de reposo me pastorea.

Conforta mi alma; me guía por sendas de justicia por amor de su nombre.

Aunque ande en valle de sombra de muerte no temeré mal alguno, porque el Señor estará conmigo; su vara y su cayado me infunden aliento.

Adereza mesa delante de mí en presencia de mis angustiadores; unge mi cabeza con aceite, mi copa está rebosando.

Ciertamente el bien y la misericordia me seguirán todos los días de mi vida; y en la casa del Señor moraré por largos días. Salmo 23:1-6 RV.)

## Conclusión: Manténte firme

Para libertad fue que Cristo me hizo libre; por tanto, permanezco firme, y no me someto otra vez al yugo de esclavitud. (Gálatas 5:1 BdlA.)

Pase lo que pase, no perderé nunca esa feliz confianza en el Señor, porque me espera gran galardón. Es necesario que con paciencia cumpla la voluntad de Dios, si es que deseo que Él me dé lo que me tiene prometido. (Hebreos 10:35-36 Biblia al Día.)

# Acerca de la autora

**Joyce Meyer** ha venido enseñando la Palabra de Dios desde 1976 y en ministerio a tiempo completo desde 1980. En calidad de pastora asociada del Centro Vida Cristiana de San Luis, Missouri, desarrolló, coordinaba y enseñaba un seminario semanal llamado "La Vida en la Palabra". Después de más de cinco años, el Señor lo dio por terminado, guiándola a establecer su propio ministerio y a llamarlo "La Vida en la Palabra, Inc."

La transmisión radial de Joyce, "Vida en la Palabra" se escucha en más de 250 estaciones de radio por todos los Estados Unidos de Norteamérica. Su programa de televisión de 30 minutos, "Vida en la Palabra con Joyce Meyer", salió al aire en 1993 y se transmite a través de Estados Unidos y muchos otros países. Ella viaja extensamente dando conferencias de "Vida en la Palabra", así como predicando en iglesias locales.

Joyce y su esposo, Dave —administrador financiero de "La Vida en la Palabra, Inc."— han estado casados durante 30 años y tienen cuatro hijos; tres están casados, y el menor reside con ellos en Fenton, Missouri, un suburbio de San Luis.

Joyce cree que el llamado de su vida es establecer creyentes en la Palabra de Dios. Ella dice: "Jesús murió para liberar a los cautivos, y demasiados cristianos llevan vidas mediocres o derrotadas." Por haberse encontrado ella misma en esta situación hace muchos años, y después de haber encontrado la liberación para vivir en victoria aplicando la Palabra de Dios, Joyce anda equipada para liberar a los cautivos y para cambiar *las cenizas en belleza*.

Para localizar a la autora, escriba a:
Joyce Meyer
Life In The Word, Inc.
P.O.Box 655
Fenton, Missouri 63026
Teléfono (314) 349-0303
Por favor, incluya su testimonio o la ayuda
recibida de este libro cuando escriba.

Damos la bienvenida a sus solicitudes de
oración.